OOR WULLIE

£3.95

KT-172-760

D. C. THOMSON & CO. LTD., GLASGOW : LONDON : DUNDEE

Wullie likes tae eat a lot,
Plain or spicy, cauld or hot,
Grub frae Turkey, Spain or Greece,
But maist of a', a JEELY PIECE.

He'll deliver rolls or milk or 'papers
Tae earn the dough for curry vapours.
He'll dig yer gairden, cut yer grass
For cash for chips wi' tomatty sass!

Mince an' tatties, bilin' beef
A' come tae grief twixt Wullie's teef.
He'll cha' his way through umpteen pies,
It's a wonder he's no' YON SIZE!

So if YOUR weight's on the up and up,
And tattie soup ye're feared tae sup,
Stick tae a diet o' mischievous cheek
An' feast yer eyes on Wull each week*!

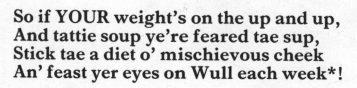

* OOR WULLIE and THE BROONS appear
every Sunday in "The Sunday Post".

Printed and published by D.C. Thomson & Co. Ltd., 185 Fleet Street, London EC4A 2HS.
© D.C. THOMSON & Co. Ltd., 1994
ISBN 0-85116-589-3

Four real humdingers —

o' carol singers!

Wull's no' pleased. He must insist

there's cordial on the New Year list!

Wull's plan a' goes wrang

when his bike tyre goes "BANG!"

HO! WULLIE'S GOT A JOB!

I'M A BUTCHER'S DELIVERY LADDIE. BRAW AULD-STYLE VAN THEY'VE GOT, EH?

THIS AULDEN DAYS' IMAGE IS A' VERY WELL......

.....BUT AH'M NO KEEN ON THIS!

AFF YOU GO NOW. THE PARCELS ARE A' ADDRESSED.

WHIT ARE YOU DOING RIDING AN OLD BED-FRAME, WULLIE?

IT'LL BEAT YOUR FLASH MOUNTAIN BIKE ANY DAY!

CAN IT GO THROUGH SOFT GROUND?

WI' A' THIS MEAT UP FRONT- NAE BOTHER!
SPLAT!
GLUBB!

TELL YE WHAT, BOB. AH'LL RACE YOU BACK TO THE SHOP.
YE'RE ON!

STEAK MINCE FOR McTAVISH.
TA, WULLIE.
JINGS!

BROKEN GLASS! AW, NO!
BANG! BANG! BANG!

AH'VE GOT AN ON-BOARD REPAIR KIT.
AH'VE GOT NOUGHT!

HOLD THE BUS.....

WHIT AN INVENTION- SAUSAGE-FILLED TYRES!

OH-OH! AH'M ABOOT TAE GET SOME ASSISTANCE.
AH'LL BEAT YOU NOW.
SNIFF!

LET ME OOT O' HERE!
WOOF! WOOF!
WULLIE! MISSUS GREIG PHONED TAE SAY SHE DIDNAE GET HER SAUSAGES.

WOULD SHE SETTLE FOR MINCE?
PLOP!

OOT O' A JOB ALREADY!
KHH.

Political upsets and shocks!

It's no' his day at the ballot box!

Fun an' games as they walk all day

all along the West Highland Way!

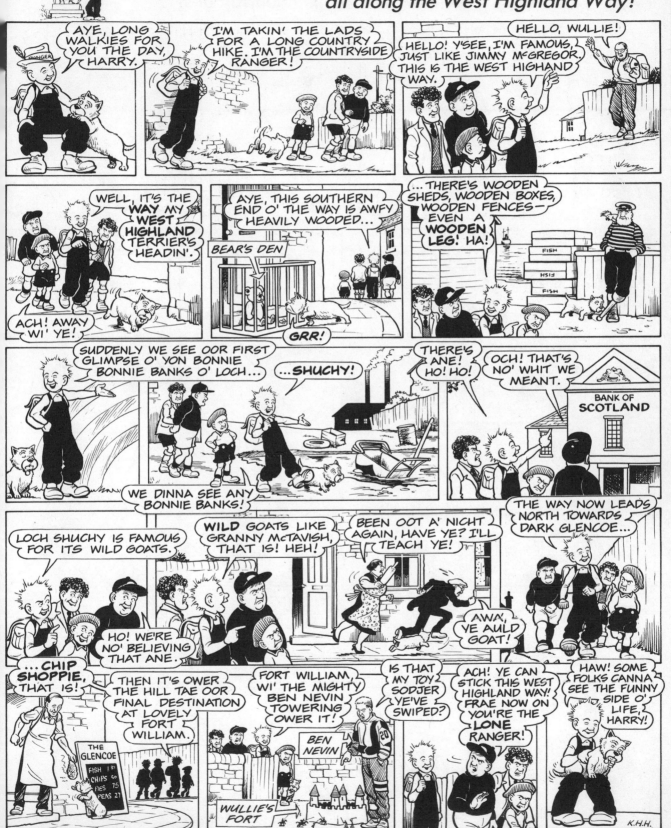

Ma thinks he's a richt wee pest —

Wullie at his "Sunday Best"!

Wullie's pals soon mak' an error —

stirrin' up the tartan terror!

Very soon he's as happy as Larry —

wi' anither set for Harry!

Here's the cure, new boots for old . . .

but Wull's no' sold, so old is soled!

There came a big spider that sat doon aside her . . .

and frightened Miss Primrose awa'!

The brute's gone double-quick —

after Harry's hat trick!

It's Pa's wee surprise . . .

the colour o' Wull's eyes!

He leaps from the end —

wi' some help from his friend!

Primrose nearly has a fit

when Wullie says "she pongs a bit"!

WHERE ARE YOU HEADED, WULLIE?

IF YE MUST KNOW, I'M TAKIN' PRIMROSE TAE THE SHOWS, BUT FIRST I'VE TAE HELP HER WI' HER PIG-TAILS!

I'LL HAE TAE WEAR THIS PEG THOUGH. SHE PONGS A BIT FRAE CLOSE UP!

ACH! WAIT 'TIL THE LADS HEAR THIS!

AYE! HE'S HELPIN' HER WI' HER PIG-TAILS THE NOO!

GOING SAFT IS OOR WULLIE. PRIMROSE PONGS A BIT, YOU SAY?

I DO **NOT** SMELL—EXCEPT **DIVINE**!

HISS!

P-P-PRIMROSE!

IF WULLIE'S NO' WI' YOU, PRIMROSE, WHICH PRIMROSE'S PIG-TAILS IS HE FIXIN'?

THAT'S WHAT **I** WANT TAE FIND OOT!

WHEN I CATCH THE TWO-TIMING WEE BAMPOT...

HE WENT THATAWAY!

CANNA WAIT TAE SEE THIS!

JINGS! LOOK AT WULLIE!

I'M TAKIN' UNCLE TAM'S PORKER, PRIMROSE, TAE THE AGRICULTURAL SHOW! POO! SMELLS AWFY IN THIS STY, THOUGH!

THAT'S THE PRIMROSE!

PRIMROSE

OINK!

UNCLE TAM'LL GIE ME SOMETHING FOR MY PIGGY-BANK TOO!

—RN.

A dog exchange scheme

ends as love's dog dream!

Wull hears what Bob's sayin' —

but the chums are just playin'!

Here's one wee clown

that just won't let ye down!

Wullie's wet trip doon the watter —

is for him nae laughing matter!

CANOE TELL WHAUR HE IS?

AH'M SHOOTIN' THE RAPIDS!

HEY, YOU! THE ONLY KIND O' RAPID YOU'RE GONNA DAE.....

HOWL!

BLACKS O' MORTON

.....IS A *RAPID EXIT* OOT O' MY SHOP! BEAT IT, LADDIE!

CANNY CANOES

ACH!

I'D LOVE TAE BUY A CANOE! NAE CHANCE WI' 50p!

JINGS! JUST THE JOAB FOR ME!

CANOE LESSONS FOR KIDS 50p A SESSION AT AUCHENSHOOGLE SCHOOL POOL

SHORTLY—

BRAW! IT'S FOR *REAL* THIS TIME!

SOON GET THE HANG O' THIS!

LOOK OOT, YE WEE NYAFF!

SPLASH!

SPLASH!

SLOW DOON! YE'RE HERE TAE LEARN A FEW BASICS!

ACH! *BASICALLY* I'M YER NATURAL ATHLETE. I CAN DAE ONYTHING!

INSTRUCTOR

AYE, WELL, YE'LL KEN HOW TAE DAE AN' ESKIMO ROLL, THEN.

Y'WHIT?

HELP MA BOAB!

NEVER MIND, I'LL SHOW YOU. OVER WE GO!

RIGHT ROUND.

GLUB!

AND UP AGAIN! *THAT'S* AN ESKIMO ROLL.

SPLOOT!

SEEIN' AS YOU'RE A NATURAL, I'LL LEAVE YOU TO MASTER IT ON YOUR OWN.

DAE ANOTHER 20 PRACTICE ROLLS.

JINGS!

I JACKED THAT IN FOR A LARK. FRAE NOW ON I'M STICKIN' TAE *JAMMY ROLLS!*

R.N.

Fishing tips . . . fly, worm or guddle?

Or maybe just a kiss an' a cuddle?

GONE FISHING.

I'LL CHECK MY BAIT'S A'RICHT.

BRAW LIVELY MAGGOTS!

EEK!

TIME TAE HOOK UP. TAK'S A BIT O' DOING, TOO.

TIE

DONE IT.... WHIT'S THAT DIN A' ABOOT?

SQUARK!

CHEEP! CHEEP! CHEEP! CHEEP! SQUARK!

CLEAR AFF, YE GREEDY GANNETS!

EMPTY. BAIT

ACH! WHERE WILL I GET MAIR BAIT FRAE? I'LL HAE AN APPLE AN' THINK ABOOT IT.

A WORM! YOU'LL DO, PAL!

OCH!

I CANNA DAE IT! SLING YER HOOK.

PHEW! I'M AFF THE HOOK!

I'LL TRY GUDDLING.

CUDDLING, DID YOU SAY? ALLOW ME, WULLIE.

PRIMROSE!

YE'RE NO HOOKIN' ME! I'M AFF!

CAULD FISH!

FISH 'N' CHIPS

NAE CAULD FISH HERE I HOPE. PRIMROSE GAVE ME THE IDEA.

FISHIN' CHIPS! HO! HO!

KHH.

Tam finds oot what it's really like

tae tangle wi' Wull's MESSAGE bike!

Not in the cat, nor in the hoose —

just whaur is this moosie loose?

YE'RE FULL O' BEANS THE DAY, JEEMY!

FAST ASLEEP

I'LL AWA' AN' GET YE A LUMP O' CHEESE!

WHAUR'S THE WEE RASCAL GONE?

GONE!

ARE YE THERE, JEEMY, MA WEE MOOSE?

NO! WHISKERS! YE HAVENAE? YE COULDNAE!?

JEEMY?

LEAVE MA WEE WHISKERS ALONE, WULLIE!

OCH, I WIZ JUST CHECKIN'!

JEEMY! JEEMY!

WHAT'S THE PROBLEM?

YES?

AYE, DID SOMEBODY SHOUT?

IS IT ME YE WANT?

ACH, A' BODY'S CA'D JEEMY ABOOT HERE!

JEEMY'S LOST! SNIFF! STILL, I'VE AYE GOT YOU, HARRY!

PAT!

WHIT'S THIS? A LUMP?

HARRY, ARE YE NO' WEEL?

JEEMY! THERE YE ARE, YE WEE RASCAL!

HARRY MAK'S A BRAW BED! I'M KINDA TIRED MYSEL'......I'M AWA' FOR A LIE-DOON!

KHH.

Wullie feels even colder

when he gets the cold SHOULDER!

Poor Wull's gettin' over-heated —

at the match they've a' tae be seated!

BUSY!

WHIT DAE YE THINK O' THE PLANS FOR OOR NEW FITBA' STADIUM?

NO' BAD! THERE'S JUST ONE THING WRANG....

....STADIUMS HAVE TAE BE ALL SEATED NOOADAYS!

I KEN WHAUR WE CAN GET SOME SEATS!

SO— LEAVE THAT BENCH ALONE!

ACH! NOBBLED!

HERE! THAT AULD BUS WILL HAE PLENTY O' SEATS.

AYE!

THANKS, FARMER!

SURE YE CAN BORROW SOME O' THE SEATS, WULLIE...

.....BUT THE HENS MIGHT NO' BE SO KEEN.

PUCK! PUCK!

OCH! BETTER LEAVE IT THE NOO.

NAE SEATS, AN' IT'S THE SUMMER CUP FINAL, TOO!

ACH! I'M DAFT! I SHOULD HAVE THOUGHT O' THAT! FOLLOW ME!

SOON— AYE, I'LL LEND YE MY PAIL FOR AN HOUR OR TWA, WULLIE!

MA ARRIVES HOME—

HERE WE GO, HERE WE GO....

JINGS! WHIT'S WULLIE UP TAE NOW? SOUNDS LIKE A CUP FINAL IN MY LIVING ROOM!

YE'RE RICHT, MA. IT'S THE TABLE SOCCER CUP FINAL, AN' I'M PLAYIN' SOAPY.

HA! HA!

ACH! IT'S WAS A DRAW! WE'LL HAE TAE GO THROUGH A' THAT AGAIN ON WEDNESDAY NICHT!

The missing pie's a real whodunnit —

and someone has to eat their bunnet!

JUST CALL ME INSPECTOR WULLIE O' THE **BACK YARD!**

MY PIE! SOMEBODY'S NABBED MY PIE!

A CASE! BRAW!

LEAVE IT TAE INSPECTOR WULLIE. I'LL SOON TRACK DOON THE VILLAIN.

OHO!

AYE, RIGHT, INSPECTOR.

HELP MA BOAB! IT LOOKS LIKE THE PIE'S IN THE **PIETHON!**

YELP!

JUST WEE ECK'S JOKE WI' HIS RUBBER SNAKE... AND IT'S **MY** PIE, AFORE YE ASK!

AWFY FUNNY!

OCH, AYE, AND WHIT'S GOING ON HERE, WULLIE?

AH'M LOOKIN' FOR BOB'S PIE AND IT'S **INSPECTOR** TAE YOU, P.C.

I CAN MAYBE HELP OOT HERE......

HAW! I WID EAT MY HAT IF YOU FOUND THE PIE AFORE ME!

AYE, BUT WHERE COULD IT BE? MAYBE A GREEDY LAD LEFT IT LYING WHILE HE WAS EATING A BAG O' SWEETS.

JUST AFF THE TAP O' MA HEID, I'D SAY SOME KIND BOBBY PICKED IT UP AND KEPT IT FOR HIM.

MY PIE! MAGIC, P.C. MURDOCH!

WHIT??

BRAW!

I DO **DETECT** WULLIE'S NO' TOO FOND O' HATS!

GNASH!

KHH.

Wull's Ma sees red

when he brings hame the bread!

STOP LOAFING ABOUT, WULLIE. AWAY AND FETCH MY GROCERIES FROM THE SHOPS.

AW, MA!

SHORTLY—

WHAT A WEIGHT! SURELY WE DON'T EAT **THIS** MUCH.

I'D BETTER CHECK I'VE GOT EVERYTHING AFORE I GO IN.

JINGS! I DIDNAE USE MY LOAF! I FORGOT THE BREAD! BACK I GO!

SLAP!

BUT—

SORRY, WULLIE! NAE BREAD LEFT. TRY THE SHOP DOON THE ROAD.

ACH! THAT'S MILES AWA'!

LATER—

GOT IT, BUT I'M AWFY FAR FROM HAME. HEY! THERE'S WEE ECK!

IT'S GREAT HAVING MATES.

AH'LL JUST TAK' A SHORT CUT DOON JOCK'S BRAE.

BUMP!

BIT BUMPIER THAN USUAL.

BUMP!

CRIVVENS! MA BREAD'S AWA'!

AFTER IT!

BOUNCE!

LATER, BACK HOME—

CRUMBS! HOW DID YOU AND THE BREAD GET IN SUCH AN AWFY STATE?

LOAFING ABOOT!

EH?

GOOD OLD MA. SHE BAKED HER OWN BREAD WHEN I EXPLAINED. JEELY PIECES! BRAW!

KHH.

Look at Wull! He canna wait

tae eat his tasty monster bait!

C

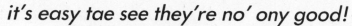

Oor Wullie searches high and low —

Is he in luck? Well, yes . . . and no!

DEPRESSED!

MY WEE PAL, HARRY THE HOUND, IS LOST.

GONE!

HERE, BOY!

HE'S BEEN GONE AGES. MAYBE THE DUG-CATCHER'S NABBED HIM. OH, WHAT'LL I DAE?

I'LL TAK' THIS PHOTAE O' HARRY TAE THE POLIS. THEY MIGHT FIND HIM.

DINNAE YOU WORRY, WULLIE. WE'LL SOON FIND HARRY FOR YOU.

OCH! I HOPE YOU'RE RIGHT, P.C. MURDOCH.

POLICE
LOST · REWARD
ANSWERS TO HARRY

IT'S TIME I GOT TRACKING M'SEL'! WHIT'S THIS? PAW PRINTS!

HARRY?

WOOF!
WOOF!

HELP MA BOAB! IT'S MAIR LIKE DIRTY HARRY!

WOOF!

MAYBE A TRAIL O' HIS FAVOURITE DOG BISCUITS WILL TEMPT HARRY HAME.

IT'S HIM! IT'S MY WEE PAL....

CRUNCH!
CRUNCH!

....WEE ECK!

LOVELY GRUB! OH! HI, WULLIE.

CRUNCH!

IT'S A' MY FAULT! I'LL NEVER SHOUT AT HIM AGAIN! HARRY, WHAUR ARE YOU?

WHIT'S THAT?

SCRATCH!

IT'S HARRY!

PAIR WEE SOUL GETTING SHUT IN A DARK CUPBOARD A' THIS TIME....

.... CHEWING MA BEST FITBA' BOOTS! YE WEE....

HOWL!

WHAUR ARE YE? COME OOT HERE THIS MINUTE....

KHH.

He's very soon wishin' **he'd never gone fishin'!**

AH'M AWA' TAE THE FISH-SHOP.

NICE BIT O' FINNAN HADDIE FOR THE TEA, WULLIE?

TROPICAL FISH EMPORIUM

IT'S YOU THAT'S THE HADDIE, P.C. MURDOCH.

GET YOUR GUPPIES HERE

JINGS! LOOK AT THAE LUMINOUS THINGIES!

GLOW

PIRANHA.

YE'LL NEED TAE WATCH YER FINGERS WI' THAE LADS!

Best Quality Tropical Fish Food
WATER PLANTS

HOW MUCH ARE YOUR LUMINOUS THINGIES — AND ARE THE BATTERIES EXTRA?

THE FISH ARE TEN POUNDS EACH, WULLIE.

SO —

AH'LL CATCH MAH AIN!

BUT LOOK AT THE PRICE O' FISHIN' NETS.

£10

ANGLING SUPPLIES

AH'VE MADE MA AIN NET.

COME TO WULLIE, LITTLE FISHIES!

BUT —

TOO LATE! THE SARDINES ARE OOT O' THE TIN!

AH GOT TWA REED BREESTERS AN' A GUBBER!

WHO CUT THE FOOT OFF MY TIGHTS — AS IF I DIDN'T KNOW!

HEY PALS! DINNAE TELL MA THAT IT'S ME!

YOUR SECRET'S SAFE WI' US, WULLIE.

JINGS! I'VE BEEN IN SOME TIGHT SPOTS IN MY TIME!

Help ma boab! What a hoot

when he turns his troosers inside oot!

This latest ploy's just awfy —

and it's driven Murdoch "daffy"!

AH'LL TAKE THE BUNCH, JOHNNY.

MERCI MADAM!

JINGS! IT'S ANE O' THAE FRENCH INGIN-JOHNNIES!

IN PA'S SHED—

NOW TAE MAK' SOME EXTRA-POCKET-MONEY FLOGGIN' INGINS!

I'LL BORROW PA'S AULD BLACK-WATCH BERET!

HEY, SPECKY! GIE'S A LEN O' YER FRENCH DICKSHUNNERY!

A CLEVER LAD

WHAT AN UNUSUAL REQUEST, WILLIAM.

LA PLUME DE MA TANTE—JINGS! AH'LL BE SPEAKIN' WI' A PLUME IN MA MOOTH.

LEARN FRENCH

AH'VE JINED ZE COMMON-MARKET.

PARLEZ VOUS, MONSEWER GENDARME, DO YOU WEESH TO BUY ZEE INGINS?

IT'S WULLIE—I'LL PLAY HIM ALANG!

AULD MURDOCH BOCHT THE HALE LOT!

BACK HOME—

HEY WULLIE! HAVE YOU SEEN THE BUNCH O' DAFFODIL BULBS AFF THE SHED WALL?

DAFFS?

GULP!

PHOOO!

THAT FRENCH INGIN SOUP TASTES AWFY!

OOPS! TOO LATE.

HOH-HOH-HOH-HOH!

KHH.

It's true he'll never earn his keep

lookin' efter fowk or sheep!

YE'RE A BUNDLE O' FUN, HARRY.

LIFE'S NO A' FUN, THOUGH, HARRY. IT'S TIME YOU EARNED A LIVING. MAYBE YOU COULD BE A GUARD DOG.

YAP! YAP! YAP!

NO, HARRY! THAT'S **PA!** HE'S ALLOWED TAE COME IN!

MAYBE NO'! THEY DINNA MAK' HARNESSES SMALL ENOUGH FOR YOU.

DOG TRAINING CENTRE

HARNESSES
LEADS
COLLARS
WHISTLES

MAYBE YOU COULD MAK' A GUIDE DOG.

DOG TRAINING CENTRE

ONYHOW, YE'RE OWER WEE. FOWK WID JUST FALL OWER YOU.

TRIP!

YE'RE A WEE PROBLEM, HARRY. HOW'D YE FANCY BEIN' A SHEEP DOG?

YELP!

JINGS! THE SHEEP ARE ROUNDING **HIM** UP!

PAIR WEE **LAMB!**

I DOUBT YE'RE NO' CUT OOT FOR WORK.

NUDGE!

CRIVVENS! THERE GOES ONE O' MA'S FAVOURITE WALLY DUGS.

SMASH!

HERE'S YER BIG CHANCE, HARRY— YOU CAN BE AN **ACTOR!**

ENTER MA—

WHIT...?

DANDY

UM.... CAN I MAK' YOU A CUP O' TEA, MA?

HUH! SHE WISNAE FOOLED! NOW I'M IN THE **DOG HOOSE!**

SLAM!

ZZZZ!

KHH.

Now here is something really funny —

I kid you not . . . a skating bunny!

Soapy's movin' oot o' toon?

Wullie has tae act — and soon!

A front door step, a hat, a seat —

Oor Wullie's bucket's hard tae beat!

 BRAW WEATHER!

 WE'RE GOIN' AWA' FOR A FEW DAYS IN OOR CARAVAN.

 WE'VE GOT EVERYTHING **AND** THE KITCHEN SINK!

 WULLIE! DO YOU HAVE TO TAK' THAT THING? AYE! THE BUCKET COMES WI' ME!

 OCH! I'VE FORGOTTEN THE CARAVAN STEP. NAE PROBLEM, PA. CARAVAN SITE

 THE FAITHFUL BUCKET'S COME IN HANDY ALREADY. WASTE

 JINGS! AND I'VE LEFT OOR WASTE CONTAINER IN THE SHED.

 HANDY THING MY BUCKET! DO YE NO' AGREE? GOOD LAD, WULLIE.

 NOW T' GIE IT A GOOD RINSE OOT.

 IT MAKES A BRAW SHOPPING BASKET AS WELL. SITE SHOP

 AYE, IT'S AMAZIN' WHAT YE CAN GET IN BUCKETS. AW, NO!

 NOW IT'S COMIN' DOON **IN BUCKETS!**

 BUCKETING RAIN DISNAE STOP ME.

 ZZZZ! PLIP! PLOP! RAIN BUTT! KHH.

Help ma boab! To Wull's dismay

he finds he's haein' a SMASHIN' day!

I'VE NAE MONEY FOR THE FAIR.

WULL YE TAK' ME TAE THE CARNIVAL, PA?

SORRY, WULLIE, AH'VE GOT TAE TAK' OOR MOTOR FOR ITS M.O.T. AND IT MIGHT COST A BOMB!

OCH, WELL, I'LL JUST PLAY WI' MY CARTIE.

HERE, THAT'S A BRAW IDEA, WULLIE, I'M NEEDING OUR WASHING COLLECTED FROM THE LAUNDERETTE.

WULL'S FARGO DELIVERY SERVICE

FOR 50p. YE'RE ON!

I'LL SOON HAE ENOUGH CASH FOR THE CARNIVAL AT THIS RATE.

WULL'S FARGO DELIVERY SERVICE

MEANWHILE—

WAIT 'TIL WULLIE SEES MY NEW MOTOR BIKE.

KERRA SH!

MITHER!

AND—

AH'M FAIR MOVIN'?!

HELP MA BOAB!

WHIT A BLOOMER!

SLAM!

WULL'S FARGO DELIVERY SERVICE

CRASH!

OOF!

GOOD OL' PA! HE SAVED SO MUCH MONEY OAN HIS CAR HE PAID FOR ALL MY REPAIRS!

MA SKATE-BOARD!

MA MOTOR BIKE!

MA'S WASHING!

PASSED FIRST TIME, WULLIE. C'MON, AH'LL TAK' YOU TAE THE FAIR.

WULL'S FARGO DELIVERY SERVICE

I CANNAE, PA. AH'VE GOT TAE GET THIS LOT M.O.T.'d.

FAIR'S FAIR!

KHH.

Nae wonder Wull wails wi' dismay —

here's a real CATastrophe!

When ye're groomin' a cat,

best wear a glass hat!

KHH.

Wullie's really cooked his goose

when he helps a ship-wrecked moose!

Oor Wullie gets it in the neck —

'cos P.C. Murdoch's gone hi-tech!

QUICK! SCRAM! AFORE MURDOCH CATCHES US!

HELLO, SERGEANT... HELLO...

GOIN' SOMEWHERE, LADS?

POLICE

IT'S A FAIR COP, WULLIE!
WI' THAE RADIOS TAE HELP YE, IT'S AN *UNFAIR* COP!
SLAP!

LATER
WE'LL PLAY HERE WHAUR MURDOCH CANNA SPOT US!

TRESPASSIN' NOW, IS IT?
HOW DID YOU KEN WE WERE HERE?

TRY AGAIN!
THE TOFFS ARE AWA' ON HOLIDAY! NAEBODY WILL SEE US IN HERE!
I MIND WHEN A BOBBY *WIZ* A BOBBY... HAD A BIKE... TOOK A FLY SMOKE... COULDNA RUN FAR ESPECIALLY IN AULD *TACKETTY BOOTS!* JINGS! I BET YE DINNA EVEN HAE THE BOOTS ONY MAIR!

THIS IS PERFECT! MURDOCH WILL NEVER THINK O' LOOKIN' IN HERE!

NAMES PLEASE!!

HA-HA! I'VE HAD YE *BUGGED* A' DAY, WULLIE! WE'VE HAD YE ON THE NEW MONITOR SCREEN A' THE TIME!
ACH! THAE MODERN POLICE METHODS ARE NO' FAIR... A LAD DISNAE STAND A CHANCE!

OH, WE STILL HAVE THE BIG BOOTS A'RIGHT!
LET ME TOUCH THEM! I BET THEY'RE LIGHT PLASTIC OR SOMETHIN'!

QUICK WE'VE NAE BUG NOW! RUN FOR IT, LADS!
C'MERE, YE RASCALS!

HA-HA! I TIED HIS LACES TOGETHER!
AAAGH!

ACH! YE CANNA BEAT THE AULD DODGES!

A funny tale o' coconut trees—

and dungarees above the knees!

This really is an awfy caper —

steamin' aff the auld wallpaper!

Here's a saying tae mak' ye wince . . .

"Too many cooks spoil the mince"!

MONDAY—

MY INSIDE'S FAIR' RUMBLIN'. MUST BE DENNER TIME!

MA'S MADE A BRAW BIG POT O' MINCE!

I JUST LOVE MINCE!

SO DO I!

WEDNESDAY—

MINCE AGAIN THE DAY!

WE HAD IT YESTERDAY AN' A'!

THURSDAY—

I'LL SEE IF RANJIT'S GOT ONY IDEAS FOR SPICING UP MA'S MINCE!

THE CURRY OOT

ALL YOU ARE NEEDING, MY BOY, IS A DOAD O' CURRY IN YOUR POT!

BRILLIANT!

THIS'LL FAIR PERK IT UP A BIT!

I'LL MAYBE ADD A WEE SOMETHING TO THE MINCE!

MINCE AGAIN, BOYS! HOPE YOU LIKE IT!

WE WILL!

I'M SURE!

I'VE PUT TOO MUCH CURRY IN IT!

YOU DID? I PUT SOME IN TOO!

ME AN' A'!

THE BUCKET'S AWA'

EFTER YOU WI' THE WATER, WULLIE!

A fitba' match! Here's how tae win —

a' ye need is a ballet spin!

I JUST LOVE A' THE FITBA' ON THE TELLY! I THINK I'LL TAK' REAL LESSONS!

THE VERY DAB! THIS'LL DAE FUR A START!

FOOTBALL SCHOOL ←

Florist

FOOTHILLS BALLET SCHOOL

IT'S NICE TO SEE BOYS TAKING AN INTEREST! CHANGE INTO THIS COSTUME, WILLIAM!

BUT..... BUT.....

UP ON YOUR POINTS!

THIS IS NAE LAUGHIN' MATTER!

SPIN!

Sport

ONE HOUR LATER

FOOTHILLS BALLET SCHOOL ←

MICHTY! HAVE YE GONE SAFT, WULLIE?

GIE US A TWIRL WULLIE! HA-HA!

DINNA PUSH YER LUCK, BOB!

SOON—

THIS IS A WEE BALLET LEAP I LEARNED THIS MORNIN'!

WHIT A SHOT!

HOW'S **THIS** FOR A TWIRL, BOB?

AND AGAIN—

WULLIE! FANTASTIC! YE'RE JUST DANCIN' THROUGH THEIR DEFENCE!

WHAT A PERFORMANCE! A REAL FITBA' STAR!

AYE, YE'LL A' HAE TAE BE ON YER TOES TAE KEEP UP WI' ME NOW!

YE KEN, I'M FAIR LOOKIN' FORWARD TAE NEXT WEEK'S BALLET LESSON!

BUT DINNA TELL A' BODY!

Strange tae say, just a word in his ear

is enough tae mak' this lout disappear!

Wullie's wishing, sad tae say,

he'd had a bigger pooch the day!

KHH.

Travelling's fine, but a' the same

ye canna beat hame sweet hame!

There's trouble when he's oot

in his birthday suit!

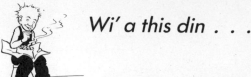

Things aren't sae braw
wi' an oval-shaped ba'!

The Empire mannie's filled wi' woe

when fower wee comics steal the show!

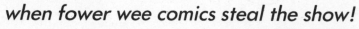

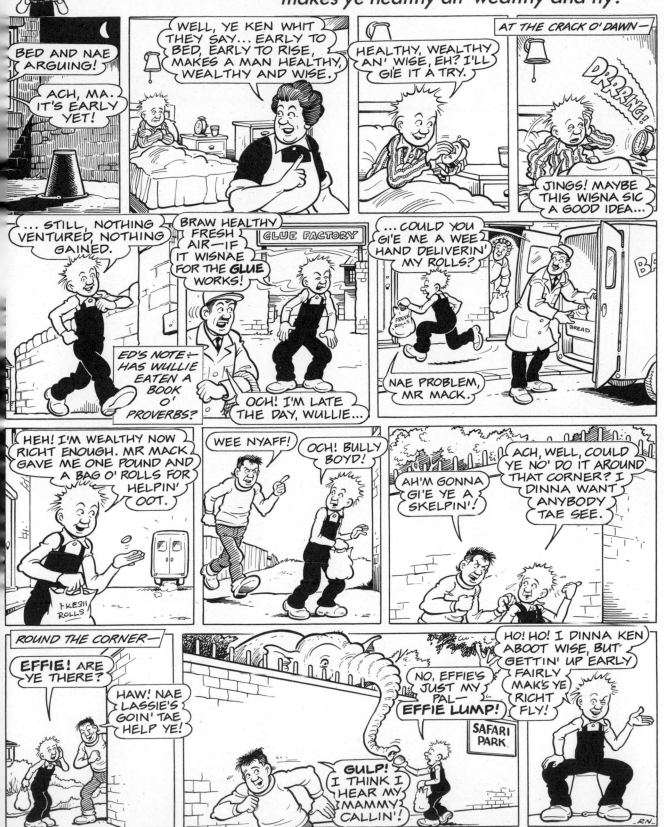

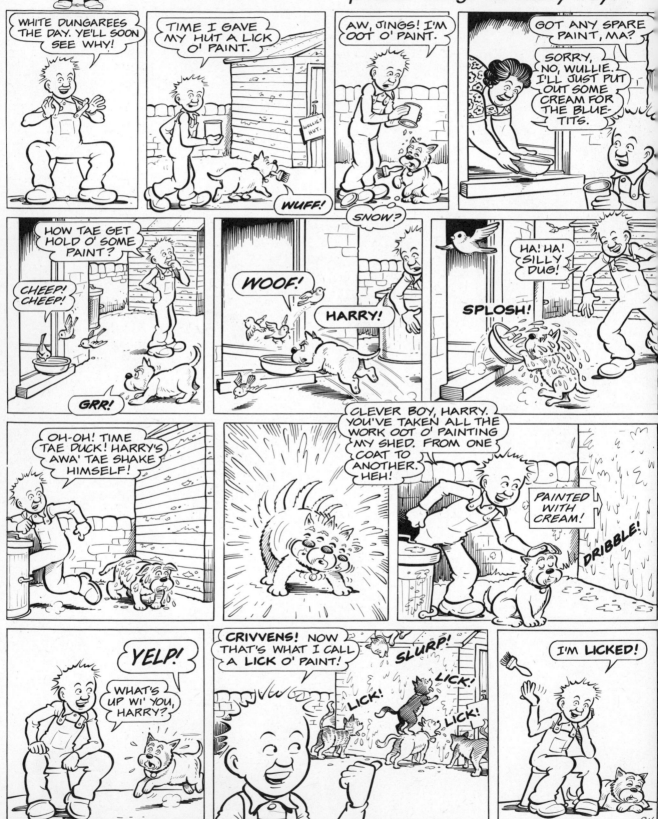

HAPPY AS HARRY

HARRY

LET'S GO AN' SEE WHIT'S FOR TEA!

I'M NO' SURE I CAN LOOK AT WULLIE'S FACE ONY LONGER, PA!

MAYBE AUNTIE JEAN WOULD TAK' HIM!

WHAT?

JEAN WIDNA WANT WULLIE! SHE'S GOT HER AIN LADDIES TAE LOOK AT!

WILL WE JUST LOCK HIM IN THE LOBBY CUPBOARD?

THEY'RE NO PUTTIN' **ME** IN ONY LOBBY PRESS! I'M LEAVIN'..... ARE YOU COMIN', HARRY?

SNIFF!

THAT'S IT SETTLED THEN! WE'LL GET RID O' HIM EFTER TEA THE NICHT!

WE'LL RUN AWA' YOU AN' ME! SOMEBODY WILL WANT US!

WE'LL NEED A JOB TAE SUPPORT OORSELS! WHIT'S HERE... BANKER... SOLICITOR... BRAIN SURGEON! HERE, THAT'S NO' BAD! THE PAY'S GOOD......

JOB CENTRE

NA, THERE'S NAE MENTION O' ACCOMMODATION .....AN' IT DISNAE SAY IF I CAN KEEP A DOG!

WE'LL MAK' OOR AIN MONEY! DINNA WORRY! WE'LL NO' STARVE!

FISH SUPPER PLEASE! SORRY IT'S A' IN PENNIES!

HERE'S YOUR SHARE! YOU'RE WEE'R THAN ME!

NO' HAPPY?

WHAUR ARE YOU GOIN? COME BACK! DINNA YOU DESERT ME AN' A'!

I'M GOIN' FOR MY DINNER!

DINNA GO IN THERE! THEY'LL PIT YE IN THE PRESS!

WUFF!

WHAUR HAVE YOU BEEN? I WAS WORRIED!

I HEARD YOU TELLIN' PA YE COULDNA LOOK AT ME ONY LANGER!

IT'S YER PICTURE WE WERE TALKIN' ABOOT, THE ANE TAKEN EFTER YE LOST THE STOURIE CUP!

WULLIE

SOMETIMES I **WOULD** LIKE TAE PIT THE PAIR O' YE IN THE PRESS! ... NA, I WOULDNA DAE THAT!

'NIGHT, WULLIE!

ZZZZZ!

KHH.

IT'S THE SCHOOL TRIP THE DAY!

WE'RE VISITIN' ROYAL DEESIDE!

STOP THE BUS!

WULLIE! OOT HERE!

JINGS! WHIT HAVE I DONE NOW?

DID YOU READ ABOUT MY ABERDEEN POLICE COLLEAGUE GIVIN' THE ROYAL PRINCES YER TIE PIN BADGES?

AYE, AN' I HOPE THEY LOOK EFTER THEM!

ON ROYAL DEESIDE....

IT'S JUST BRAW! THE RIVER DEE'S BONNIER THAN STOORIE BURN!

LET'S SEE IF I CAN GUDDLE A TROOT....

CRIVVENS! IT'S A RICHT BIG ANE....

HELP MA BOAB! IT'S A SALMON!

—AND **YOU** ARE A POACHER!

I SAY! IT'S WILLIAM, THE BOY ON OUR TIE PIN BADGES!

JINGS! IT'S WILLS AND HARRY!

HOME, FATHER! WE'VE A GUEST FOR TEA!

AND YOU HAVE A SALMON! YOU MUST TELL ME HOW YOU CATCH THEM!

IN THE CASTLE DINING ROOM....

THIS SALMON'S JUST BRAW! YOUR MOTHER MUST BE AS GUID A COOK AS MA....YOU MUST LET ME INVITE **YOU** TO TEA AN' A'!.....

BACK HAME.... **THIS** IS THE STUFF! MINCE FIT FOR A PRINCE!

MINCE AN' TATTIES!

JINGS! IT SMELLS DELICIOUS!

NO' A BAD DAY FOR **OOR** WULL AN' HARRY! HA-HA!

KEN. H. HARRISON.

Trust oor little lad tae find

a warden o' anither kind!

Oor lad's the boss, or so he thinks—

but canna halt his dug's high jinks!

 TRAININ' STARTS THE DAY, HARRY M' LAD!

 FOWK DINNA LIKE BADLY-BEHAVED DOGS NOWADAYS, Y'KEN!

 IT'S AWFY IMPORTANT T' BE WELL-TRAINED!

 I'LL TAK' YER LEAD AFF! NOW, I DINNA WANT YE T' MOVE UNTIL I GIE THE WORD! UNDERSTAND?

 HARRY, YE WEE NYAFF! COME HERE, MUTT!

 DAFT DOG! DID YE NO' HEAR A WORD I SAID? YE MUST HAE TATTIES IN YER LUGS! DOGS CANNA UNDERSTAND A' THAT, WULLIE! YE ONLY USE SINGLE WORD COMMANDS!

 SIT!

 SIT I SAID! GET YER BOTTOM ON THE DECK!

 HEEL!

 THAT'S NO' WHIT I MEAN! GET YER TEETH OOT!

 ACH, THAT'S ENOUGH! YE'VE NAE BRAINS!

 HARRY! DINNER! HARRY

 MIND YOU, THERE ARE SOME THINGS HE KENS FINE! YAP! YAP!

 BED NOW! NAE ARGUMENTS! KENNEL! YE HAVE T' DAE WHIT YE'RE TELT!

 I KEN IT'S CAULD, BUT HE'S GOT A HAIRY COAT!

 SOMETIMES YE HAVE T' BE FIRM! THEY'RE NO' AS SMART AS HUMANS EFTER A'! NO' MOVIN'!

 ZZZZZ! ZZZZZ!

KHH.

Time efter time Oor Wull's unstuck —

he's really "dogged" by bad, bad luck!

Dishes here and dishes there —

Nae wonder Wullie's in despair!

Michty me! There's a richt to-do . . .

Wha's goin' tae play wi' you-know-who?

It isnae often that you'll see

Wullie doon on bended knee!

This auld bath is smashin' —
for a'thing but washin'!

KEN. H. HARRISON

As is very often the way —

he's larger than life today!

I'VE HAD RARE FUN THIS WEEK...

GLASSWORKS

WULLIE, TAK' THIS TAE THE OPTICIANS' SHOP-IT'S FOR THEIR SIGN.

LOOK! IT'S WULLIE *BIGFOOT!* HAW! HAW!

WHIT ARE THEY ON ABOOT?

OCH! I SEE NOW...

IT'S A *MAGNIFYING GLASS!*

HARRY!

GRR!

SSSPIT!

SOON SORT THIS OOT! HEH!

YELP!

GETTIN' IGNORED, EH, PAL?

YAP! YAP!

WHAAAH!

NO' FOR MUCH LONGER YE WON'T BE.

FAINT!

WHAAAH!

A BIG LAUGH EH, FOLKS?

GRANPAW BROON'S MARROW'S NEXT FOR THE "TREATMENT".

JINGS! YON'S FAIRLY SPROUTED!

AH'M TELLIN' YE, IT'S THIS BIG NOW.

HAVERS, BROON.

HEE! HEE!

OPTICIANS

ACH! SO *THAT'S* WHIT IT'S FOR.

HERE'S SOMETHIN' FUR YE, WULLIE.

BRAW! FIFTY PENCE!

OCH! IT'S ONLY TWENTY PENCE.

STILL, IT WIZ RARE FUN!

GURR!

KEN.H. HARRISON.

It's awfy early! What's Eck said?

Och, Wull wid rather be in bed!

Help ma boab! This cartie-cross

really is a richt dead loss!

LIGHTS, ACTION...

THON RALLY-CROSS LOOKS BRAW FUN.

AYE! LET'S HAE ANE O' OOR OWN—IN CARTIES!

MAGIC IDEA!

DINNA YOU DARE GET YOUR CLEAN DUNGAREES DIRTY. AND WHAT'S THAT AULD PUDDIN' BASIN FUR?

WASHIN' PUDDINS.

A'BODY GOT THEIR RACERS READY?

AYE!

READ THE BEANO   READ THE BEANO 2   LUIGI'S CHIPPER

RICHT! HERE'S OOR RACE COURSE. DOON PRANNIE HILL, ROOND THE EDGE O' PRANNIE POND, THROUGH WITCHIE WOOD TAE THE FINISH.

NAEBODY'S GONNA BEAT ME. YIPPEE!

READ THE BEANO 7

HELP MAH BOAB! THAT GORSE BUSH WISNAE OAN THE MAP!

RIP!

READ THE BEANO

I THOCHT YE SAID AROOND PRANNIE POND, WULLIE! HA? HA!

LUIGI'S CHIPPER 2

ACH!

HISSS!

AH'LL SOON CATCH UP ON WEE ECK FUR A' HIS CHEEK!

WITCHIE WOOD

READ THE BEANO 7

BUT—

WULLIE'S BIRD WATCHIN' INSTEAD! HAH!

JINGS!

9 READ THE DANDY

I WIS JUST PLAYIN' RALLY-CROSS, MA.

AD THE BEANO 7

RALLY-CROSS? YE'VE MADE ME REALLY-CROSS!

NO' CHUFFED!

L

KEN H. HARRISON.

Eye-eye-eye! As time passes

a'body, it seems, needs glasses!

WHERE ARE YE, JOE PUBLIC? HO! HO!

VISION EX

EYE-EYE, THIS IS THE PLACE. HEH!

I SAY, OLD BEAN. JOLLY GOOD BOATING WEATHER. WHAT-HO!

WILLIAM! SIT UP AND PAY ATTENTION! YOUR HOMEWORK IS A DISGRACE!

'ELLO, POSSUMS! DAME EDNA HERE.

NOW THEN, BOY. READ ME THAT CHART ON THE WALL.

WALL? WHAT WALL?

E
FPTL
SMXCG
HJNOKYD

GLANCE

NEWSAGENT

NEWS
RANGERS
v
ROVERS
TONIGHT

JINGS! I'LL NEED TAE MIND ABOOT THON GAME THE NICHT!

BAH! YOUR EYES MUST BE PERFECT!

AYE. I ONLY CAME IN WI' PA'S SPECS F'R REPAIR.

CHEEKY LADDIE!

TEST

DINNA MAK' A *SPECTACLE* O' YERSEL'! HA! HA!

SLAM!

NARF!

WHIT'S THE GAME, WULLIE? SUN SPECS AT THIS TIME O' YEAR.

OCH...

IT'S TWA LOVELY KEEKERS I GOT AFF THE SPEC-SHOP MANNIE'S DOOR!

DINNA GIE US SUCH *BLACK LOOKS*, WULLIE! HO! HO!

AH'VE BEEN PUT IN THE *SHADE!* HO-HUM!

KEN. H. HARRISON.

Wullie tries tae duck romance —

and ends up spot-on at the dance!

KEN H. HARRISON.

F

Wullie's vigilante team

gets a burglar it wid seem!

AULD MRS KEMP WAS BURGLED LAST WEEK.

AYE. FOLKS JUST DINNA FEEL SAFE ANYMORE.

JINGS!

CANNA HAE THIS.

HOWZIT GAUN, WULLIE?

LISTEN, LADS, WE'RE GONNA BECOME CRIME BUSTERS, AND SET UP A **NEIGHBOURHOOD WATCH** SCHEME. SPREAD OOT AN' KEEP YER EYES PEELED.

THE LADS GO INTAE ACTION —

WHIT'S HE DAEIN'? HE LOOKS AWFY SUSPICIOUS.

SHOOSH!

BET THON'S A FALSE BEARD.

AYE. WE'LL HAE TAE NAB HIM TOGETHER. FETCH THE WASHING LINE.

RICHT! LET'S JUMP THE THIEVIN' RASCAL!

WHIT?

GOT YE NOW, VILLAIN!

JIST A MINUTE....

TELT YE IT WAS A FALSE BEARD... **JINGS!** P.C. MURDOCH!

WULLIE!

I WIZ WORKING UNDERCOVER THE DAY. LOOKING OOT FOR BURGLARS. AWA' AN' PLAY ELSEWHERE, YE WEE SCUNNERS!

HEAD FUR THE HILLS!

OCH! A'BODY MAK'S MISTAKES. GUID LAUGH IT WAS TAE! HA! HA!

KEN. H. HARRISON.

Hairy mutts all shapes an' sizes

conjure up a few surprises!

Michty me! It surely looks
like Wullie's really intae books!

THINKING

SOMETHING'S BOTHERING OOR WULLIE.

COO'S NEST—NAW!

EH? WHIT'S HE ON ABOOT?

THE LAD MUST HAE A SUDDEN THIRST FOR KNOWLEDGE.

LIBRARY

WOW! WULLIE'S LEARNING RUSSIAN! OCH! HE'S NO' BECOMIN' A SWOT, IS HE?

LATER ON—

I'M AFF TAE THE MATCH, FOLKS.

THAT'S MAIR LIKE OOR WULLIE. AFF TAE SEE AUCHENSHOOGLE ROVERS.

SEE AUCHENSHOOGLE ARE PLAYIN' THON BIG RUSSKI SIGNING AGAIN.

AYE, AN' HE'S CLEAN THROUGH—BOUND TAE SCORE.

AW! MISSED!

OOPSKI!

The Sunday Post

SLAM!

AWAY WI' YE, MIK.....ER....

AYE! YE'RE ROTTEN MACHINK.... .....UM......

The Sunda

AWA' AN BILE YER HEID, MIKHOPALONGACHENKOV!

The Su

VOT?

NICE ANE, WULLIE! THE ONLY ONE TAE GET HIS NAME RICHT!

ACH! SO THAT'S WHY HE WAS LEARNING RUSSIAN! HEH!

AVAY UND BOIL YER HEIDSKI...?

HA! HA! HA!

SCOTS DICTIONARY

SCOTS DICTIONARY

KEN. H. HARRISON.

They've baith had enough

o' Bob nickin' their stuff!

This birthday gift, neatly boxed

leaves Primrose a trifle shocked!

WULLIE'S ON HIS KNEES AFORE ME. HOW ROMANTIC!

AWA' YE GO, PRIMROSE! CAN YE NO' SEE I'M JUST WATCHIN' HARRY? HE'S LOOKIN' FOR RATS!

THAT IS DISGUSTING!

OCH, THERE ARE THINGS WOMEN DINNA UNDERSTAND!

YOU AN' HARRY HAVE BEEN INVITED TO PRIMROSE'S WEE DOGGY'S BIRTHDAY PARTY.

YER NECK'LL HAE TAE BE SCRUBBED, LADDIE!

HOWL! WHIT ARE YOU SMIRKIN' AT, HARRY?

SCRUB!

YOU'LL HAE TAE GET BRUSHED UP AN' A'! HAH!

JINGS! A BOW COLLAR! POOR DUG!

HOW SWEET!

AT THE PARTY—

WE BROCHT YER DUG A PREZZIE. WHAUR'S THE TRIFLE?

ISN'T THIS EXCITING, PANSY? WULLIE AND HARRY HAVE BROUGHT YOU A PRESENT. HOW NICE OF THEM!

DIG INTAE THE TRIFLE TIME.

FAINT!

SHRIEK! IT'S A DEID RAT!

FAINT!

AYE! A RICHT THUMPER!

BEGONE! AND TAKE THAT REVOLTING OBJECT WITH YOU!

HARRY'S NO' THAT BAD, AN' HOW ABOOT A A DOGGY BAG FULL O' TRIFLE?

ACH! **RATS** TAE WUMMIN' AN' SAFT DUGS! PITY ABOOT THON TRIFLE THOUGH!

KEN. H HARRISON.

Fat Bob's conker's number one —

it's a ton-up AND a ton!

KEN. H. HARRISON.

Wull's determined no' tae fail

in the Girl Guides' bucket sale!

His chums mair Scottish? Don't be silly —

they're no' a PATCH on fly Oor Wullie!

KEN H. HARRISON.

Wullie finds oot in the end

just wha really is man's friend!

Nothing could be nicer —

than fish 'n' chips de-icer!

Trust Oor Wullie! He's no' dozy —
his jacket really keeps folk cosy!

There's one thing that Wull should know —

before cooking in the snow!

KEN·H HARRISON

Poor Oor Wullie's oot o' luck

when his plans DON'T come unstuck!

Wullie gets his work ahead —

then he's aff tae kip in bed!

GETTIN' READY FOR CHRISTMAS

AH'M GETTING A'THING ORGANISED IN ADVANCE.

FIRST, I'LL HANG UP MY STOCKING.

AN' LEAVE OOT A GLASS O' MILK FOR SANTA AND A MINCE PIE FOR RUDOLPH.

I KEN FINE IT'S JUST PA THAT AYE EATS IT—BUT I DINNA WANT TO LET ON I KNEW ABOOT IT.

AH'M A SMART WRAPPER—AN' NO' THE SINGING KIND AFORE YE SAY IT!

NOW TAE PIT OOT MY PREZZIES TAE MA AN' PA UNDER THE TREE.

AN' SOMETHING FOR HARRY...I DINNA BOTHER WRAPPING IT NICELY...

WUFF?

...'COS HE AYE OPENS IT EARLY ANYWAY! HEH!

RRRIP!

ON WI' MA'S BEST TABLE CLOTH...

...AN' THE BEST KNIVES AN' FORKS.

IT WIDNAE BE CHRISTMAS WITHOOT THE CRACKERS!

I'VE SENT A' MY CHRISTMAS CARDS, TIDIED MY ROOM... AYE, THAT'S ABOUT IT.

I CAN GO TO BED NOW — I CAN HARDLY WAIT.

BUT IT'S ONLY THE 22ND, WULLIE—CHRISTMAS DAY ISNAE 'TIL WEDNESDAY!

SUN 22

I KEN THAT! IT'S JUST I CANNA TAK' ALL THE WAITING—AH'M STAYING IN BED FOR THREE DAYS. G'NIGHT.

WHIT A LADDIE.

CHRISTMAS MORN—

IT WIZ WORTH A' THE WAITING! MERRY CHRISTMAS, A'BODY!

KEN.H. HARRISON.

He's no' awa' tae bide awa' —

just a day or twa in the Glencoe sna'!

KEN. H. HARRISON.